Meet big **C** and little **c**.

Trace each letter with your finger and say its name.

1

C is for

cat

C is also for

car

cap

cookies

cow

Cc Story

Meet a very **c**ool **c**at.

4

The **c**at wears a **c**ool **c**ap...

and sits on a **c**ool **c**ouch.

5

The **c**at drives a **c**ool **c**ar.
It is very **c**olorful!

The **c**at shares his **c**ookies with a **c**ool **c**ow.

A sharing, **c**aring **c**at
is very **c**ool!